© Bayard Éditions Jeunesse, 2006
3, rue Bayard, 75008 Paris
ISBN : 2 7470 2049 5

Dépôt légal : octobre 2006
Loi 49-956 du 16 juillet 1949 sur les publications destinées à la jeunesse
Toute reproduction, même partielle, interdite.

Séverine Charon

Les Explorateurs
racontés par les peintres

BAYARD JEUNESSE

À partir de l'Antiquité, l'homme dispose de moyens de plus en plus perfectionnés pour parcourir le monde. Grâce aux progrès techniques et guidé par l'esprit d'aventure, il s'avance toujours plus loin, repoussant sans cesse les limites de l'inconnu.

Il aura fallu de nombreux siècles et des explorateurs intrépides pour que tous les recoins de notre planète soient découverts et cartographiés ! Aujourd'hui, la Terre ne possède plus de secrets et elle paraît bien petite. L'homme est donc obligé de porter ses pas ailleurs : le voilà qui défie l'espace !

Soif de pouvoir, désir de richesse, curiosité scientifique, conquête spirituelle ou nationale... les motivations de l'aventurier sont diverses. Dans ce livre, tu vas rencontrer vingt explorateurs, parmi les plus célèbres. Prépare-toi à faire un fabuleux voyage ! En suivant leurs traces, tu vas sillonner la planète et observer des civilisations différentes de la nôtre. Tu pourras aussi vibrer au rythme de leurs exploits, accomplis parfois au péril de leur vie...

L'exploration fait si bien tomber les frontières que les peintres de ce livre sont de nationalités, voire de continents différents. Admiratifs, critiques, parfois amusés, ils prennent souvent position à travers leur tableau. Seule certitude : l'explorateur ne laisse pas indifférent. Si l'histoire de l'humanité s'est construite au gré des expéditions successives, l'obstination et le courage de certains méritent d'être reconnus !

Alexandre, un roi à la conquête du monde

Comme de nombreux Grecs de l'Antiquité, le jeune Alexandre aime rêver aux merveilles de l'Asie. Il se distingue pourtant des autres : fils du roi de Macédoine, voisine de la Grèce, il a pour précepteur le grand philosophe Aristote, qui lui parle de l'Orient et aiguise sa curiosité.

À vingt ans, maître de la région à la mort de son père, il conquiert l'empire perse, simple étape sur la route de l'Inde. En 331 avant J.C., Darius, le roi perse vaincu, s'enfuit en Iran, dans une région montagneuse qui ne figure pas sur les cartes. Pour Alexandre, le temps de la découverte est arrivé : après la Syrie et l'Égypte, des pays inconnus s'ouvrent enfin à lui !

Pour rattraper son ennemi, le roi fougueux ne recule devant rien : pas plus le désert brûlant ou les cimes enneigées, que les tribus barbares qu'il massacre sans scrupules. Darius mort, les soldats grecs pensent rentrer ; c'est méconnaître l'obstination de leur chef !

Au printemps 326, l'expédition a atteint la limite du monde connu : l'Inde. Les savants qui l'accompagnent s'émerveillent devant toutes les splendeurs du pays ; grâce à leurs écrits, les Grecs auront enfin accès aux mystères de l'Asie. Mais, lasse de voyager, l'armée se rebelle, et Alexandre doit rebrousser chemin.

À trente-trois ans, il succombe à une mauvaise fièvre. Son désir de bâtir un empire sans limites s'effondre. Pourtant, grâce à lui, la culture grecque a commencé à se répandre, brisant définitivement les frontières entre l'Orient et l'Occident.

Une marche triomphale

Regarde Alexandre sur son cheval blanc. En tête du cortège, il adresse aux Indiens un signe de la main. Un courtisan le suit ; il porte un parasol pour le distinguer des autres. À l'arrière- plan, on voit des musiciens qui accompagnent la procession royale, au rythme du tambour et d'une trompette de cérémonie. Attirés par le bruit, deux hommes se sont retournés : ils rendent le salut à Alexandre. Ils reviennent sans doute de la chasse : sur leurs piques sont empalées des proies.

Les cavaliers appartenant à l'escorte paradent fièrement sur leurs chevaux élégants. Les serviteurs, eux, vont à pied, à l'exception du conducteur de la charrette tirée par des bœufs. Mystérieuse, une princesse voilée chevauche au premier plan. Elle rappelle que ce dessin a été réalisé en Inde, alors aux mains des musulmans moghols. Tous les hommes sont d'ailleurs coiffés de turbans, sauf Alexandre, bien sûr !

Dans cette miniature, tout est stylisé. Le paysage est suggéré par des détails décoratifs, et la plupart des visages se ressemblent. Alexandre ne porte ni barbe ni moustache, ce qui symbolise sa jeunesse. La beauté de la peinture tient aussi à ses couleurs vives, provenant de pierres et de végétaux. En guise de perspective, les personnages se superposent verticalement ; le dessin est ainsi facile à lire. Seule importe la glorification du souverain, que les musulmans nomment Iskandar.

Les petits secrets du peintre

Cette peinture délicate de petite taille, appelée miniature, n'est pas l'œuvre d'un seul artiste, mais de plusieurs. Tandis qu'un peintre trace d'abord les traits du dessin, un autre pose les couleurs. Pour les visages et les éléments du paysage, on a certainement fait appel à d'autres spécialistes, qui resteront, eux aussi, anonymes.

La procession royale d'Alexandre le Grand

Dessinateurs indiens anonymes
XVIe siècle, miniature moghole
Victoria and Albert Museum de Londres (Grande-Bretagne)

Les Vikings, aventuriers des mers

Sur l'océan, le brouillard commence à se dissiper. Des proues en forme de dragon en émergent progressivement ; des cris retentissent. Ce sont des Vikings qui clament leur joie : à l'horizon, une île est apparue. À l'avant du premier drakkar se tient leur chef, Erik le Rouge. Il tire son surnom de sa barbe rousse. Coupable de meurtres, cet homme a dû s'exiler de son pays, l'Islande. Cela fait longtemps qu'il cherche une terre d'accueil. Les navires mettent le cap sur un territoire montagneux et verdoyant. Nous sommes en 982, et les Vikings sont les premiers à s'installer dans cette contrée. Erik lui donne le doux nom de Groenland, qui signifie « Terre verte ». Trois ans plus tard, il repart en Islande chercher sa famille. Pour peupler le Groenland, il ramène quatorze navires chargés de colons et de bétail. Sa mission remplie, il se consacre à la culture de ses terres.

Mais son fils Leif veut poursuivre l'aventure. Comme tout Viking, il a le voyage dans le sang ! L'occasion se présente bientôt : il entend parler d'une terre plate et inconnue, à quelques jours de bateau du Groenland. Muni d'un plan de route approximatif, il embarque vers le sud. Il y découvre des terres où il ne gèle pas l'hiver, et où la vigne et le maïs poussent en abondance. En l'an mille, Leif est le premier Européen à poser le pied en Amérique ! S'il se contente d'accomplir un voyage d'exploration, d'autres Vikings tenteront après lui de s'y installer. Leur projet sera compromis par les Indiens qui protègent farouchement leurs terres.

Vers de nouveaux rivages

Regarde cette flotte intrépide. Comme elle s'élance fièrement vers l'horizon lumineux, riche de promesses ! Le vent gonfle les voiles ; les rameurs déploient toute leur énergie. La route à parcourir est encore longue...

Des nuées d'oiseaux escortent les drakkars. Depuis toujours, les marins s'en servent pour se repérer : leur présence signale la proximité d'une terre. Pour les mettre en valeur, l'artiste joue avec les contrastes. Peints en blanc, les oiseaux se détachent sur un fond sombre. Plus foncés, ils ressortent sur le ciel illuminé.

Distingues-tu les guetteurs en haut des mâts ? Postés dans des corbeilles, ils sont appelés vigies. Rien n'échappe à leur vue perçante. Certains tendent le bras vers le soleil levant. Ton regard aussi suit la progression des bateaux, de la gauche vers la droite. La lumière éclatante attire l'attention, encadrée par deux lignes noires formées par le mât et une silhouette mystérieuse. Les drakkars avancent, sans un bruit et avec détermination. Ils ne résistent pas à l'appel de la mer ! Le peintre accompagne leur élan. Des lignes obliques rythment le tableau et créent un effet de mouvement. Elles sont dessinées par les mâts, les rames, et même les rayons du soleil. Marins prodigieux, les Vikings règnent sur les océans. Comment ne pas les redouter ?

Les petits secrets du peintre

Pour donner l'illusion que les bateaux sont innombrables, Albert Goodwin plonge le spectateur au milieu de la flotte. Sur les côtés gauche et droit de l'œuvre, les navires sont volontairement coupés. La scène donne l'illusion d'être vue d'un drakkar. Grand voyageur, le peintre invite ainsi à revivre ces expéditions légendaires.

Les Vikings, aventuriers des mers

Albert Goodwin

Peintre anglais

1845 - 1932

Huile sur toile

Collection privée

Marco Polo, une vie de légende

À quinze ans, Marco ne connaît pas son père, parti faire du commerce en Orient. Aussi se réjouit-il quand celui-ci rentre à Venise. Mais son séjour sera bref : il a promis à l'empereur mongol, Koubilaï Khan, de revenir avec des savants choisis par le pape. À la clé, la conversion de l'empereur et de ses sujets. En 1271, le marchand, son frère et son fils s'élancent à cheval sur la Route de la Soie, longue et périlleuse.

Ils échappent d'abord aux pillards du désert. Puis Marco contracte le mal des montagnes sur les cimes du Pamir. Dans le désert de Gobi, les mirages l'éprouvent : se croyant appelé, il s'égare dans les dunes. Quel soulagement quand les voyageurs arrivent dans la ville de Chang-tou, où ils sont accueillis par l'empereur !

Marco tombe en arrêt devant les murs du palais royal ornés de pierreries et de dragons. Koubilaï, lui, tombe sous le charme de ce garçon à qui rien n'échappe. Il cherche un observateur pour connaître l'état de son empire, le plus vaste du monde : ce sera Marco Polo ! Pendant dix-sept ans, le Vénitien sillonne la Chine mongole et ses alentours, notant tout ce qu'il voit. Jamais un Européen n'est allé si loin en Asie !

En 1295, de retour au pays, Marco et son père sont méconnaissables. Vêtus de costumes mongols, ils rapportent des trésors : épices, soieries, pierres précieuses...

Bientôt, Venise entre en guerre. Capitaine d'un bateau, Marco Polo est fait prisonnier par ses ennemis génois. À son compagnon de cellule émerveillé il conte ses aventures. En 1298, le *Livre des merveilles* est publié : l'Europe peut rêver aux féeries de l'Orient !

Sur le chemin du retour

Regarde Marco Polo à l'entrée de la ville. Son navire vient d'accoster pour faire escale dans le golfe Persique. Pendant qu'il demande l'hospitalité, son père et son oncle sortent les chameaux de la nef. Ils viennent de très loin et sont bien fatigués. Le port d'Ormuz, où ils se trouvent, est un relais sur la route des Indes qui relie l'Occident à l'Orient.

D'ailleurs, la mer occupe le centre du tableau ; elle forme une diagonale qui dessine le parcours des marchands. De petits traits réguliers suggèrent le courant de l'eau qui s'écoule vers le bas, hors du cadre. Ormuz n'est qu'une étape dans un périple encore long.

Jusque-là, les voyageurs n'ont longé que des côtes sauvages. Cette nature inhabitée est évoquée par les arbres et les rochers des premier et dernier plans. Avec ses remparts blancs, la ville semble un lieu de repos rassurant. Placée en haut à droite, elle se détache sur le ciel. As-tu remarqué les toits des habitations ? Typiquement français, ils ne correspondent pas au lieu désigné ! N'ayant aucune idée de l'architecture persane, le peintre s'est inspiré de ce qu'il connaissait. Pourtant, il introduit un certain exotisme. Les hommes ont tous le type oriental : barbus, ils arborent des tenues et des coiffes originales. Sur le bateau, un éléphant agite sa trompe. Il attire l'œil par sa blancheur, qui tranche sur la coque du navire.

Les petits secrets du peintre

Tirée du *Livre des merveilles* de Marco Polo, cette enluminure illustre un des épisodes de la vie incroyable de l'explorateur. Le peintre ne respecte pas les proportions naturelles des éléments.

Si la ville paraît si petite, c'est qu'elle ne présente qu'un intérêt secondaire. Il préfère se focaliser sur l'essentiel : les personnages.

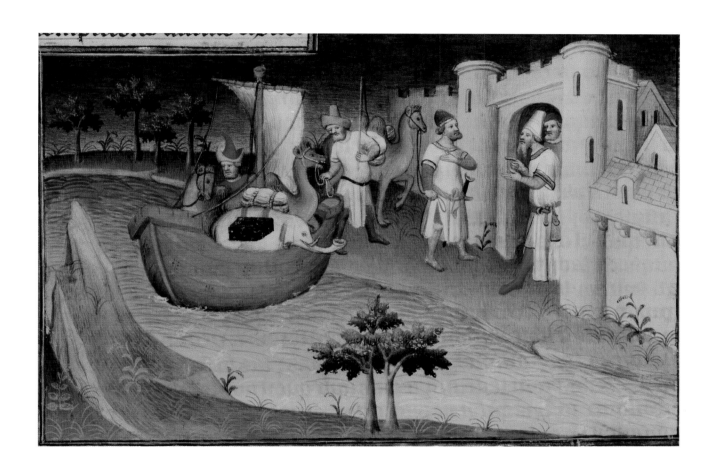

L'arrivée de Marco Polo à Ormuz en compagnie d'éléphants et de chameaux

Maître de Boucicaut
Peintre français
1390 - 1430

Enluminure sur vélin,
42 x 30 cm
Bibliothèque nationale, Paris

Christophe Colomb, un navigateur obstiné

En ce jour de printemps 1492, Christophe Colomb est le plus heureux des hommes : la reine d'Espagne, Isabelle la Catholique, finance enfin son expédition. Pendant huit ans, il a fait le tour des cours européennes. Personne ne l'a pris au sérieux. Atteindre les Indes par l'ouest, quelle folie ! Pourtant, l'aventurier est sûr de lui ; il a étudié bien des cartes et rencontré de nombreux savants.

Le 3 août, trois navires partent de Palos. D'après les calculs du navigateur, ils arriveront à destination dans un mois. Pourtant, les semaines passent, et aucune terre n'est en vue. Les marins sont au bord de la révolte quand, le 12 octobre, au petit matin, un homme crie : « Terre ! Terre ! » Christophe Colomb vient de découvrir l'Amérique.

D'île en île, il explore les Bahamas, Cuba, puis Haïti. Persuadé d'être en Asie, il est déçu de ne trouver ni soieries ni pierreries.

Son retour en Espagne est triomphal. Tous se précipitent pour admirer ce nouveau vice-roi des Indes, qui parade au milieu d'Indiens, de perroquets et d'une cargaison d'or et d'épices.

Christophe Colomb entreprend encore trois voyages en Amérique. Mais après l'euphorie vient la déception. Maltraités, parfois massacrés par les Espagnols, les Indiens sont devenus hostiles. Et les marins sont rongés par les fièvres. Aux Antilles, on ne trouve point d'or, mais des cannibales ! Malade et usé, l'explorateur ne fascine plus. Il meurt dans l'indifférence, sans savoir qu'il a découvert un nouveau continent.

À la découverte du nouveau monde

Regarde le conquérant au centre du tableau.
C'est Christophe Colomb. Pour l'occasion, il s'est paré de l'uniforme rouge de Grand Amiral. Il y a des années qu'il attend ce moment. Un genou en terre, l'épée à la main, il plante l'étendard de ses souverains. Ce sol appartient désormais à la couronne d'Espagne. À son côté, un prêtre brandit un crucifix. En l'honneur de Dieu, ce pays sauvage est baptisé San Salvador (Saint Sauveur).

Derrière eux se presse l'équipage des navires que l'on aperçoit au loin. À droite, d'autres hommes descendent d'un canot. Comme ils sont impatients de poser le pied sur la terre ! Dans l'enthousiasme, deux marins embrassent le sol. Pressentent-ils que quelque chose de prodigieux est en train de se jouer, qui va bouleverser le monde ?

Cachés derrière des buissons, des indigènes observent la scène en silence. Ils ont la peau brune et ne portent pas de vêtements. Ils semblent intrigués ; ils n'ont jamais vu d'hommes blancs, habillés ainsi. Et s'ils étaient des dieux venus de la mer ?

Les Européens ne les ont pas encore remarqués, ils n'ont d'yeux que pour ce paradis à la végétation si généreuse. Leur groupe, qui occupe presque toute la toile, se détache sur un ciel clair, alors que les Indiens sont relégués dans un coin obscur. Le rapport de forces est inégal : la colonisation a déjà commencé !

Les petits secrets du peintre

Fier d'être espagnol, le peintre a choisi d'illustrer une des grandes pages de l'histoire de sa nation. Il introduit la notion de l'héroïsme en multipliant les lignes verticales. Drapeaux, silhouettes, arbres et crucifix créent une impression d'élévation. Pour accompagner ce mouvement, les regards se lèvent vers le ciel.

Les premiers pas de Christophe Colomb en Amérique

Dioscoro Teofilo de la Puebla Tolin
Peintre espagnol
Melgar de Fernamental 1832 - Madrid 1901

Sérigraphie
Bibliothèque du Congrès, Washington D.C. (États-Unis)

Vasco de Gama, serviteur de la couronne

Le roi portugais Manuel Ier a de grandes ambitions pour son pays et des désirs de revanche. Grâce à Christophe Colomb, l'Espagne s'est emparée d'une partie des Indes occidentales. Grâce à Vasco de Gama, le Portugal devra conquérir les Indes orientales ! En 1497, le roi confie au navigateur quatre navires et deux cents hommes. Sa mission : atteindre l'Inde par l'est et établir des liens commerciaux.

Quatre mois après le départ, la flotte double le cap de Bonne-Espérance, découvert par un compatriote, Bartolomeu Dias. La mer est déchaînée, des tempêtes s'abattent sur les navires... Imperturbables, ils contournent l'Afrique. Les Portugais sont les premiers Européens à se risquer dans cette région inhospitalière.

En effet, Vasco et ses hommes comprennent vite qu'ils ne sont pas les bienvenus. Installés sur ces côtes, les marchands arabes veulent garder l'exclusivité du commerce d'or et d'esclaves. Des deux côtés, la méfiance s'installe. Les Portugais n'ont qu'une hâte : parvenir en Inde.

Fin mai 1498, les voilà enfin à Calicut. Bien accueillis par le souverain indien, ils sont pourtant rejetés par la population, montée contre eux par les Arabes. Ils doivent bientôt fuir. Huit navires sont lancés à leur poursuite : Vasco de Gama les détruit au canon.

En septembre 1499, c'est un bien triste équipage qui rentre à Lisbonne. Décimés par les maladies, les marins ne sont plus que cinquante-cinq. Nommé Amiral des Indes, Vasco de Gama est couvert d'or et de gloire : il a tout de même réussi à ouvrir la voie aux conquérants portugais.

Un départ solennel

Regarde comme le roi est mis en valeur. Il ressort sur un fond rouge, aux couleurs du Portugal. Debout sur une estrade, il s'adresse à Vasco de Gama, agenouillé devant lui. Nous sommes le 8 juillet 1497 ; dans quelques heures, les navires partiront pour l'Inde.

Auparavant, le roi doit confier l'expédition à Dieu. Il porte sur le bras un tissu orné de la croix des chevaliers du Christ. Pour que tous distinguent le motif, Vasco de Gama et une femme élégamment vêtue tiennent chacun un coin du drap. À l'arrière-plan, les voiles portent ce même dessin, qui protégera les marins. Avec noblesse, Vasco de Gama lève son épée et promet de remplir son devoir.

Un peu plus loin, sur la gauche, un évêque attire le regard grâce à son habit d'apparat. Il a une mitre sur la tête et porte une crosse. Il s'apprête à bénir la flotte et son commandant. Lui aussi a les yeux fixés sur le souverain et son courtisan. Chacun prie en silence : Dieu, faites qu'ils réussissent ! Certains sont à genoux et joignent les mains ; d'autres ont allumé des cierges. Un mystérieux personnage est représenté devant l'évêque. Il s'appelle Zacuto ; astronome de la cour, il a donné de précieux conseils de navigation à Vasco de Gama. Il tient une feuille sur laquelle apparaît un instrument de mesure, l'astrolabe. À ses pieds, un page déroule des cartes maritimes. Non, décidément, Vasco de Gama n'a pas droit à l'échec !

Les petits secrets du peintre

L'auteur de ce tableau décoratif fait preuve de réalisme historique. Les spectateurs ont l'illusion d'assister à l'événement tel qu'il s'est déroulé. Pourtant, un élément est anachronique : la tour de Belem, que l'on aperçoit à gauche, a bien été construite par Manuel Ier, mais plus de quinze ans après le départ de Vasco de Gama. Symbole de Lisbonne, elle nous renseigne sur le lieu.

Départ pour le Cap : le roi Manuel Ier bénit Vasco de Gama et son expédition

John Henry Amshewitz
Peintre anglais sud-africain
Ramsgate (Grande-Bretagne) 1882 - Muizenberg
(Afrique du Sud) 1942

1935, peinture murale
Université de Witwatersrand, Johannesburg (Afrique
du Sud)

Magellan, un capitaine de caractère

Ancien matelot de la marine portugaise, Magellan connaît les Indes. Mais cela ne lui suffit pas. À presque quarante ans, il lui faut accomplir un exploit : il veut être le premier à faire le tour du monde ! Le Portugal lui refusant son aide, il frappe à la porte du roi d'Espagne. Son objectif est clair : rejoindre l'Indonésie par le sud de l'Amérique. Le roi est enthousiaste ; c'est en son nom que Magellan s'emparera des Moluques, archipel riche en épices.

En août 1519, cinq galions s'élancent sur l'Atlantique. Magellan se montre autoritaire : lui seul connaît le cap. Au bout de trois mois, les hommes découvrent le Brésil et ses délices, ignorant qu'un véritable enfer les attend. Au sud du continent, un froid terrible les saisit, tandis qu'ils cherchent désespérément un passage. Pour réprimer les mutineries, Magellan fait couler le sang. Le 21 novembre 1520, l'espoir revient enfin devant un détroit inconnu, appelé aujourd'hui Magellan. Il faudra aux navires un mois pour traverser ce labyrinthe de sept cents kilomètres, bordé de rochers déchiquetés et de squelettes de baleines.

Au bout, c'est l'océan Pacifique. Quel calme, quelle chaleur ! Mais le bonheur est bref. Affamés et brûlés par le soleil, beaucoup de marins meurent. Les survivants finissent par débarquer sur les futures îles Philippines. Au début, les indigènes se montrent accueillants et prêts à se convertir au Dieu catholique. Malheureusement, lors d'une expédition, Magellan meurt, touché par une flèche empoisonnée en voulant protéger ses hommes. Si près du but...

L'appel du large

Regarde la silhouette imposante du navigateur. Le pied sur une marche, il domine la scène, son buste se découpant sur le ciel. Sa tunique jaune contraste vivement avec le ciel sombre et le noir de ses chausses, de son pourpoint et de son chapeau. Comme il a fière allure ! L'heure est aux derniers préparatifs avant le grand départ. Sur la plage, des marins achèvent le chargement des cargaisons à bord des navires. Pendant ce temps, Magellan finit d'étudier le trajet. À sa gauche sont empilées les cartes maritimes, dont deux sont déroulées. Posé sur elles, un astrolabe les empêche de s'envoler. Bientôt, il servira à repérer la position des astres pour s'orienter en pleine mer. Observe ces cartes ; on les appelle des portulans. Simples croquis des côtes, ils n'ont pas d'échelle et sont truffés d'erreurs, de lieux imaginaires. Avec de tels documents, le voyage risque de réserver bien des surprises...

Sur le sol est déplié un tissu orné de la croix de saint Jacques. Ce motif apparaît aussi sur le médaillon que Magellan porte au cou. Cette croix rouge en forme d'épée est le symbole de la conquête espagnole. Elle rappelle que les conquérants doivent répandre leur foi, quitte à recourir aux armes. Au-dessus de la tête de Magellan, des nuages s'amoncellent, encadrés par les murs clairs du bâtiment. Ne serait-ce pas un présage inquiétant pour l'expédition ?

Les petits secrets du peintre

Dans ce portrait en pied, Magellan apparaît dans une posture singulière. S'il fixe intensément le spectateur qui lui fait face, son corps commence à se détourner. Sa jambe et son bras droits sont dirigés vers la mer. Le peintre montre-t-il que Magellan est promis à un grand destin, ou cherche-t-il à dissimuler le fait qu'il était boiteux ?

Ferdinand de Magellan

Antonio Menendez
Peintre portugais

XXe siècle, huile sur toile
Musée de la marine, Lisbonne (Portugal)

Hernan Cortés, un redoutable stratège

Chez les Aztèques, le bruit court que le dieu Quetzalcoatl est de retour. Accompagné de monstres terrifiants, il annoncerait la fin du monde. En réalité, l'homme blanc et barbu que l'on croit divin n'est qu'un capitaine espagnol du nom de Cortés. Il n'est pas escorté de monstres, mais de chevaux, inconnus dans ce pays.

Avec ses six cents soldats, il vient conquérir le Mexique. Il commence par s'allier avec les tribus opprimées par les Aztèques, qui ne veulent plus être sacrifiées aux dieux de leur empereur Moctezuma ! Le conquistador va les aider à se soulever. Sa prochaine destination : Tenochtitlan, la capitale aztèque de l'empire.

Dès son arrivée, Cortés sait qu'il n'en repartira pas avant de s'être emparé de cette superbe citadelle. Les sacs d'or offerts par le souverain n'y changeront rien ! Le 8 novembre 1519, Moctezuma est fait prisonnier, tandis que la ville tombe aux mains des Espagnols.

Au printemps, les hommes de Cortés profitent de son absence pour massacrer de riches Aztèques et leur voler leurs biens. Malgré l'appel au calme de Moctezuma, le peuple se révolte ; assoiffé de vengeance, il capture des Espagnols et les sacrifie.

Un an après, Cortés revient avec des renforts. Son plan est infaillible : il assiège la capitale, qu'il détruit chaque jour davantage. Mexico s'élève bientôt sur les ruines de Tenochtitlan. De l'empire aztèque il ne reste que des pierreries, tissus de plumes, poteries, que Cortés rapportera à son roi.

Une histoire de la colonisation espagnole

Regarde, en haut à gauche, l'homme au visage ingrat.
C'est Cortés ! Il vient de débarquer au Mexique. Son épée à la main, il est impatient de conquérir de nouvelles terres. Il n'a pas un regard pour l'Aztèque qui se prosterne à ses pieds et lui offre des présents. Sa maîtresse indienne, qui se tient derrière, lui glisse des conseils dans l'oreille ; elle connaît bien la mentalité de son peuple.

Devant lui, on voit des soldats à cheval. Celui qui porte la barbe rousse n'a pas l'air commode. Lieutenant de Cortés, il est réputé pour sa cruauté. C'est peut-être lui que le peintre a représenté en bas une deuxième fois, marquant au fer rouge un indigène. Les Espagnols n'ont pas attendu longtemps pour asservir les Mexicains…

Cortés réapparaît au premier plan : il reçoit de l'argent d'un marchand d'esclaves, en échange des indigènes livrés. Une femme assiste à la scène. On ne voit pas son visage, mais celui de son enfant interpelle le spectateur de ses grands yeux bleus. Il ignore encore la cruauté des hommes.

Relégués à l'arrière, les Amérindiens sont traités comme des animaux ; le fouet s'abat souvent sur eux. Courbés sous l'effort, presque nus, ils paraissent tous identiques. Rien d'étonnant à cela : ils ont perdu leur dignité. Des hommes pendus qu'on aperçoit au loin leur rappellent où mène la révolte. Même la nature est détruite par l'homme occidental. Où sont donc les prétendus bienfaits de la civilisation ?

Les petits secrets du peintre

Rivera met son art au service du peuple mexicain à qui il raconte l'histoire de son pays. Sur les murs du Palais national de Mexico, il peint des fresques accessibles à tous. À sa manière, il participe à la révolution en dénonçant les horreurs de la colonisation. Il caricature Cortés : la laideur de son visage et de son corps bossu reflète la noirceur de son âme.

La Colonisation, détail de la fresque « Le Mexique colonial »

Diego Rivera
Peintre mexicain
Guanajuato 1886 - San Angel 1957

1945 - 1952, fresque murale
Palais national, Mexico (Mexique)

Francisco Pizarro, un conquistador assoiffé d'or

Modeste gardien de porcs, Pizarro est prêt à tout pour changer de vie. De nombreux Espagnols sont partis faire fortune en Amérique ; pourquoi ne tenterait-il pas sa chance, lui aussi ?

Voyageant dans le Pacifique, il entend parler d'un pays fabuleusement riche, le Pérou. Il n'a plus qu'un désir : trouver cet Eldorado ! En 1524, à la tête d'un navire, il descend au sud de Panama. Mais l'enthousiasme de ses hommes faiblit : sous des pluies battantes, l'équipage affamé tombe malade ; il est dévoré par les moustiques et menacé par les flèches indiennes. Bientôt, les objets en or trouvés dans les villages pillés ne suffisent plus à motiver ses troupes. Pizarro prend une décision rapide. Traçant une ligne sur le sol, il s'écrie : « Au sud, la gloire, l'or, le Pérou ; au nord, Panama, la pauvreté. Faites votre choix ! » Seuls treize hommes le suivent.

En route, ils sont rejoints par des aventuriers, eux aussi attirés par les temples et forteresses incas qui regorgent d'or. Mais Pizarro doit rentrer en Espagne pour obtenir du roi des renforts. En 1531, sa flotte débarque pour conquérir le Pérou affaibli par la guerre que se livrent les héritiers du trône. Lors d'une attaque surprise, Pizarro fait prisonnier l'empereur Atahualpa. Contre sa liberté, celui-ci promet tout l'or que peut contenir une salle immense. Il sera pourtant assassiné.

Sans foi ni loi, les conquérants pillent le pays. L'empire inca s'écroule. Quant à Pizarro, il est sauvagement tué par l'un de ses compagnons.

Une belle capture

Regarde : l'empereur inca est en mauvaise posture !

Deux des hommes qui portaient sa litière sont tombés. Ils déséquilibrent ainsi Atahualpa, leur souverain, obligé de se cramponner pour ne pas chuter à son tour. Venus rendre visite à Pizarro, les Incas ont été surpris par l'attaque des Espagnols, qui arrivent en grand nombre par la gauche. Devant eux, les indigènes fuient en hurlant ; certains tombent déjà sous les coups ennemis. Au premier plan, on aperçoit un plateau de fruits renversé. Pour la femme qui le portait, seul compte l'enfant qu'elle essaie de protéger.

Dans la cohue, Pizarro s'est rapproché d'Atahualpa pour s'emparer de lui. Parce qu'il est l'enjeu essentiel du combat, l'Inca occupe la place centrale ; la blancheur de son pagne ressort vivement. Sa couronne représente le point le plus haut du tableau, et donne l'impression d'une pyramide. Remarque comme le peintre insiste sur la ligne oblique formée par les corps d'Atahualpa et de ses deux agresseurs. Les trois hommes sont penchés ; ce mouvement est souligné par la position des épées et des bras espagnols. La conquête du Pérou doit passer par la capture de son empereur !

Baignant dans la lumière du soleil, un moine se tient debout, brandissant la croix et désignant le ciel. C'est lui qui vient de déclencher l'assaut, sous prétexte que l'empereur refusait de se convertir. La religion autorise bien des actes barbares...

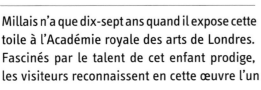

Les petits secrets du peintre

Millais n'a que dix-sept ans quand il expose cette toile à l'Académie royale des arts de Londres. Fascinés par le talent de cet enfant prodige, les visiteurs reconnaissent en cette œuvre l'un des meilleurs tableaux historiques exposés cette année-là. Plus encore, ils admirent la maturité de l'artiste dénonçant les violences de la conquête espagnole.

Pizarro capture l'Inca du Pérou

John Everett Millais
Peintre anglais
Southampton 1829 - Londres 1896

1846, huile sur toile,
1,28 x 1,72 m
Collection privée

Jacques Cartier, le marin breton

Jusqu'au XVIe siècle, la France ne joue aucun rôle dans la découverte du monde. En 1494, le partage de l'Amérique se fait donc sans elle. Mais, pour le roi François Ier il est temps que la France conquière de nouveaux territoires et s'enrichisse ! C'est à un navigateur d'expérience, Jacques Cartier, qu'il confie l'honneur de la nation.

En avril 1534, deux navires quittent le port de Saint-Malo. Leur projet : trouver un passage par le nord-ouest pour atteindre l'Asie. Parvenu en Terre-Neuve, Cartier se lance dans l'exploration de cette région pas encore colonisée. Il nomme les lieux découverts et plante une croix en Gaspésie. Ce geste déclenche la colère des Iroquois, décidés à rester maîtres de leurs terres. Pour faire la paix avec eux, Cartier invite à bord Donnacona, le chef de la tribu. Son invité lui fait alors découvrir le tabac fumé à la pipe. L'entente est telle que Cartier ramène en France les deux fils de l'Iroquois pour les présenter au roi.

En mai 1535, le navigateur revient en Gaspésie avec l'intention de continuer son périple vers l'Asie. Après de joyeuses retrouvailles avec leurs amis iroquois, les marins se mettent en quête d'un passage vers la Chine. Ils remontent le Saint-Laurent, un fleuve tellement long que sa source est inconnue. Au cours de ce voyage, Cartier visite les futures villes de Québec et de Montréal.

Au printemps, il fait un retour triomphal au pays, chargé de fourrures, d'or, et accompagné de Donnacona. Son troisième et dernier voyage s'avère malheureusement moins riche en découvertes. Terrassé par la peste, Cartier n'assistera pas à la création de la Nouvelle-France au Canada.

Un accueil chaleureux

Regarde les pirogues des marins français qui glissent sur les eaux du Saint-Laurent. Pour remonter le fleuve, elles laissent derrière elles les trois navires de l'expédition. Les falaises se détachent sur le ciel et se reflètent dans l'eau. Cartier et son équipage sont éblouis par la majesté du site. Et s'ils étaient les premiers hommes à pénétrer cette nature sauvage ?

L'illusion est de courte durée : des indigènes interpellent les Français. Avec leurs coiffes de plumes et leurs vêtements en peau, ils sont faciles à reconnaître. Ce sont des Indiens iroquois, et ils sont ici chez eux ! Leurs arcs au repos, ils agitent des tissus blancs. Les explorateurs sont rassurés : leurs intentions semblent pacifiques. En guise de réponse, Cartier ordonne qu'un drapeau blanc soit déployé.

Seule compte cette scène à l'avant du tableau, dont les couleurs sombres et les détails précis tranchent avec le fond clair. Le peintre s'intéresse surtout à la rencontre entre ces deux peuples si différents. Pas de méfiance ni d'hostilité entre eux, juste une curiosité bienveillante. À l'horizon, les contours s'estompent dans une lumière vaporeuse. L'atmosphère est presque irréelle et propice au rêve et à l'évasion... L'artiste invite le spectateur à entrer dans le tableau, parmi les Iroquois. C'est pourquoi on ne les voit que de dos ou de profil, alors que les Français leur font face.

Les petits secrets du peintre

Peintre officiel de la marine, Gudin se voit commander par le roi Louis-Philippe une série de toiles pour Versailles. À travers quatre-vingt-dix-sept tableaux, il illustre les hauts faits de la marine française. Parce qu'il a beaucoup navigué, il se nourrit de son expérience pour se spécialiser dans les sujets marins.

Jacques Cartier découvre le fleuve Saint-Laurent en 1535

Jean Antoine Théodore Gudin
Peintre français
Paris 1802 - Boulogne-sur-mer 1880

1847, huile sur toile,
1,42 x 2,66 m
Châteaux de Versailles et de Trianon

Francis Drake, le corsaire de sa majesté

À douze ans, Francis Drake s'embarque sur un bateau marchand et découvre sa vocation de marin. Qu'il aime voir le navire glisser sur les flots, et entendre les voiles claquer au vent ! Dix ans plus tard, le jeune Anglais est capitaine de son propre vaisseau. Ses expéditions l'amènent souvent à se battre contre les Espagnols. Pour preuve, la cicatrice qu'il porte au visage.

Quand il s'agit d'aller piller leurs colonies d'Amérique, ce pirate n'a pas de scrupules. Surtout que son pays est en mauvais termes avec cet État rival. Sa réputation de conquérant arrive alors jusqu'aux oreilles de la reine d'Angleterre, qui accepte de financer son rêve secret. Le 15 novembre 1577, Francis Drake quitte Plymouth, déterminé à faire le tour du monde. Il contourne l'Amérique par le sud, s'emparant des cargaisons des bateaux espagnols et portugais croisés en chemin. Son navire s'enfonce, alourdi par ses cales remplies d'or et d'argent. Malgré tout, le corsaire poursuit sa route, s'efforçant de passer par le nord de l'Amérique. Le froid l'obligeant à faire demi-tour, il rejoint le nord de la Californie, où il prend possession de terres inconnues au nom de sa patrie. Il traverse finalement le Pacifique, puis l'océan Indien, avant de contourner l'Afrique. Le 26 septembre 1580, le voilà de retour.

Mais, devant l'ampleur de son butin, l'Espagne crie au scandale : le corsaire doit lui en restituer une partie. Loin de punir celui qui honore l'Angleterre, la reine le fait chevalier.

Un adoubement singulier

Regarde le capitaine agenouillé sur le pont du navire. Il tient à la main son chapeau, qu'il vient d'ôter en signe de respect. Face à lui, la reine est debout, étincelante dans sa robe couverte de broderies et de dentelles. Elle a posé le plat de l'épée sur son épaule : elle s'apprête à l'armer chevalier. Francis Drake est encore sous le coup de la surprise : jamais il n'aurait imaginé recevoir sur son vaisseau la visite de la reine Élisabeth Ire !

Son dos forme une ligne qui se prolonge avec l'épée, reliant étroitement le sujet à sa souveraine. Une ombre au sol accompagne ce mouvement.

Pour l'occasion, on a dressé une table chargée de mets délicieux. Des courtisans se mêlent à l'équipage, conscients de vivre un moment exceptionnel. Un garde, posté sur le pont supérieur, ne participe pas à la cérémonie ; il veille à la sécurité de Sa Majesté britannique.

Derrière Élisabeth Ire se tient le chancelier du royaume, sir Christopher Hatton. Il est le premier à avoir cru en Francis Drake et son expédition insensée. Pour le remercier, le pirate a rebaptisé son vaisseau *Golden Hind*, « la Biche dorée », cet animal figurant dans le blason de son protecteur.

Le corsaire est aujourd'hui récompensé pour son exploit : un globe terrestre placé à sa droite le confirme. Bientôt, c'est en tant que chevalier qu'il défendra son pays menacé par la terrible flotte espagnole, l'Invincible Armada.

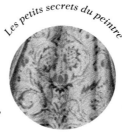

Les petits secrets du peintre

Cette illustration est la reproduction d'un dessin figurant sur une plaque de cuivre. Cette technique, appelée lithographie, n'offre pas encore une palette de couleurs très variée. Plutôt vives, car pures, les couleurs se répètent à l'intérieur du dessin. Le rouge éclatant de la ceinture du héros apparaît ainsi en divers endroits, sur les vêtements, les drapeaux...

La reine Élisabeth Ire adoube Francis Drake

Howard Davie
Illustrateur anglais
1914 - 1944

Lithographie
Collection privée

James Cook, un explorateur infatigable

En 1768, l'Angleterre songe à coloniser le Pacifique Sud. Derrière un objectif scientifique – observer à Tahiti le passage de la planète Vénus devant le Soleil – se cache le désir de coloniser des terres avant les Français. À la tête de l'expédition, un homme s'impose : le capitaine Cook. Excellent marin, il est aussi un scientifique. Enfant, il dévorait déjà les livres de géographie et de mathématiques.

En compagnie de savants, il atteint l'archipel tahitien, puis découvre la Nouvelle-Zélande et l'Australie. Les voyageurs vont de surprise en surprise : kangourous immangeables, ornithorynques à bec de canard, Maoris cannibales... Ce sont des territoires bien exotiques qui vont enrichir l'Angleterre !

À peine rentré, Cook repart en mission dans le sud de l'Océanie, à la recherche d'un hypothétique continent. Il emmène avec lui des scientifiques équipés d'instruments de mesure révolutionnaires. Cook franchit le cercle antarctique ; mais il n'ira pas plus loin, gêné par les icebergs et le froid. Pas de regret : il se rabat sur l'Atlantique et le Pacifique. Pendant trois ans, cet infatigable voyageur parcourt ainsi les mers à la recherche de nouvelles contrées.

Revenu en Angleterre en été 1775, Cook est vite rattrapé par sa soif d'évasion. Le voilà de nouveau parti chercher le passage nord-ouest qui relierait l'Atlantique au Pacifique. Longeant l'Amérique, il découvre les îles Sandwich (Hawaï). Surnommé Orono, il y est vénéré comme un dieu. Mais les séjours fréquents des Anglais exaspèrent les indigènes. Lors d'une émeute, Cook est poignardé dans le dos.

La mort d'un héros

Regarde le capitaine Cook, vêtu de blanc. Il s'avance, déterminé à intervenir dans ce combat qui commence. Derrière, ses hommes arrivent en chaloupe. Leurs fusils pointés sur la foule, ils n'hésitent pas à tirer. Ils ont déjà fait une victime, que l'on voit au premier plan. Face à Cook, les indigènes laissent éclater leur fureur. Armés de piques, ils veulent se venger. Le canot volé aux Anglais méritait-il qu'on tue l'un des leurs ? Et de quel droit les Anglais s'installent-ils chez eux ?

La silhouette de Cook délimite les deux parties du tableau : le capitaine choisit de s'interposer entre les camps ennemis. Contrairement aux autres, il ne paraît pas menaçant. D'ailleurs, il n'utilise pas son arme. Il s'efforce seulement d'apaiser les indigènes pour éviter le carnage. Son visage ne trahit aucune crainte. Pourtant, la foule semble incontrôlable : partout, on n'aperçoit que des visages déformés par la colère.

La situation dégénère, et voilà que le temps s'en mêle ! De gros nuages noirs s'amoncellent au-dessus de l'île. Même la falaise qui se dessine à l'arrière-plan devient inquiétante. Signe des cieux, l'orage gronde et annonce la tragédie à venir. Un indigène se prépare à tuer le capitaine. Il attire le regard par sa coiffe et son manteau rouge et doré. Vois son poignard : dans quelques instants, Cook ne sera plus qu'une victime parmi d'autres.

Les petits secrets du peintre

Réalisé trois ans après sa mort, le tableau rend hommage au héros anglais. Encore choqué par cet événement, l'artiste en offre une vision caricaturale : si les indigènes sont présentés comme de cruels sauvages, Cook fait figure de martyr de la paix. Symbolisée par le blanc, sa bonté s'oppose à la brutalité des Tahitiens, aux couleurs sombres et aux visages grimaçants.

La mort du capitaine Cook

George Carter   1781, huile sur toile,
Peintre anglais   1,512 x 2,13 m
1737 - 1794   Bibliothèque nationale d'Australie, Camberra

La Pérouse, l'officier du roi

Le roi Louis XVI rêve d'une expédition française ambitieuse. En 1785, il en confie le commandement à La Pérouse. À la suite de Cook, le navigateur doit achever la carte du monde, établir de nouveaux comptoirs commerciaux et routes maritimes tout en enrichissant les connaissances scientifiques. Il promet de remplir sa mission sans sacrifier la vie d'un seul homme. Hélas, le destin en décidera autrement...

Après avoir contourné l'Amérique, les Français mettent le cap sur l'île de Pâques, puis sur Hawaï, dont ils rectifient la position sur la carte. Montés jusqu'en Alaska, ils font du commerce de fourrures avec les Indiens. Depuis un an qu'ils sont partis, aucun accident n'est à déplorer, jusqu'au jour où des chaloupes se fracassent contre les rochers. Bilan : vingt et un disparus, et un premier deuil pour l'expédition.

Les bateaux gagnent ensuite la Californie, avant de traverser le Pacifique. En Asie, les Français cartographient les mers inconnues de Chine et du Japon. La Pérouse continue à envoyer régulièrement des nouvelles en France. Après un repos mérité en Russie, ils repartent pour la Polynésie. Là, le malheur s'abat encore sur l'expédition : treize hommes sont tués par des indigènes. Enfin, c'est l'équipage tout entier qui disparaît mystérieusement corps et biens dans le Pacifique, en mars 1788. Sur le point d'être guillotiné, Louis XVI continuera à s'inquiéter de La Pérouse !

Il faudra trente-huit ans pour situer le lieu du naufrage. Énigme fascinante, cet accident ferait presque oublier quel homme exceptionnel fut La Pérouse.

CHARGÉ PAR LE ROY LOUIS XVI, EN 1785, D'UNE EXPLORATION DU PACIFIQUE, CETTE EXPÉDITION FIT NAUFRAGE EN 1788 SUR LES ROCHERS DE VANIKORO.

La carte de l'expédition

Regarde la boussole, en bas au centre. Une étoile y indique les points cardinaux et la direction des vents. Les marins l'utilisent pour s'orienter : c'est une rose des vents. Sur son fond, le peintre s'est amusé à dessiner le navire de La Pérouse, appelé justement... *La Boussole* !

Au cours du voyage, facile à visualiser grâce au tracé bleu, ce bateau exceptionnel a permis aux Français, figurant à droite, de rencontrer les différents peuples, représentés à gauche.

Au sein de l'équipage, tu peux reconnaître La Pérouse. Avec sa longue-vue, il a repéré le cap, qu'il indique de sa main. Derrière lui, son second tient une carte. On voit également un peintre, son carton à dessins sous le bras, et un géologue qui étudie les roches avec son marteau. Les marins n'ont pas été oubliés. Devant le groupe, en voilà un, sur le point d'amarrer le bateau. Face à eux, les indigènes créent un jeu de symétrie très décoratif. L'Africaine agenouillée rappelle la position du marin. Derrière elle se tiennent quatre individus faciles à identifier : le Maori avec son perroquet, l'Indien avec son arc, l'Oriental au turban et le Chinois au chapeau pointu. Son drapeau orné d'un dragon a un équivalent chez les Français : celui du roi, décoré de fleurs de lys. À travers ses nombreux symboles, cette carte donne une vision idéalisée de la réalité. Elle est en effet l'œuvre d'un illustrateur, et non d'un géographe.

Les petits secrets du peintre

En 1941, Albi, ville natale de La Pérouse, commémore le bicentenaire de sa naissance. Elle commande alors une œuvre à un artiste albigeois. En dessinant le trajet effectué par le navigateur sur la carte du monde, Liozu rappelle son exploit. En haut, il figure son blason, dont le cheval au galop évoque le nom complet du capitaine, Galaup de La Pérouse.

Voyage de La Pérouse

Jacques Liozu
Illustrateur français
Albi 1910 - Bourg-Madame 1974

1941, carte illustrée,
Musée La Pérouse, Albi

Bonaparte et la campagne d'Égypte, un succès scientifique

Depuis 1794, la France est gouvernée par le Directoire, composé de cinq hommes. Leur désir : étendre les conquêtes françaises. Grâce à son génie militaire, le général Bonaparte va les y aider en remportant de nombreux succès dans la campagne d'Italie. Sa popularité grandit dans un pays déprimé et affamé : le Directoire se sent menacé. Quelle chance que Bonaparte propose de partir en Égypte pour barrer la route des Indes aux Anglais !

En mai 1798, le général prend la tête d'une expédition militaire et scientifique. En plus des trente-six mille soldats, cent soixante-sept savants et artistes l'accompagnent en Égypte. Historiens, mathématiciens, ingénieurs ou dessinateurs, ils sont chargés d'étudier cette civilisation longtemps oubliée. Au péril de leur vie, ces Français, dont la plupart sont très jeunes, parcourent le pays, vivent avec les nomades dans le désert. La région n'est pas sûre ; ils voyagent sous la protection des soldats. Mais, devant la beauté des monuments de l'Égypte antique, tout est oublié ! Quel émerveillement !

Jour après jour, les savants vont noter leurs travaux et découvertes. Tous ces documents seront publiés dans une œuvre exceptionnelle, *La Description de l'Égypte*, illustrée de cartes et de croquis. Cette aventure scientifique unique compense l'échec de l'expédition militaire : en 1801, les Français doivent partir. Avec regret, ils abandonnent aux Anglais, qui ont pris le contrôle du pays, certaines de leurs trouvailles, dont la célèbre pierre de Rosette.

La rencontre avec le Sphinx

Regarde Bonaparte, fièrement juché sur son cheval.
Il est reconnaissable à son bicorne, ce chapeau à deux pointes. Fasciné par ce lieu exceptionnel, il s'est arrêté aux pieds du Sphinx, gardien des pyramides depuis des millénaires. Il se tient face à la statue représentant un lion couché à tête humaine. Son escorte est restée en arrière, pour ne pas troubler la magie de cette rencontre entre deux continents et deux époques. Située hors du tableau, elle n'apparaît que sous la forme d'ombres projetées sur le sol. Au loin s'étirent des lignes de soldats, bien ordonnées. Le ciel lisse et sans nuages contraste avec les reliefs du désert, soulignés par les roches et les pierres qui jonchent le sol. De ce paysage fait de lignes horizontales émerge le Sphinx, énigmatique et majestueux. Les archéologues français ont bien travaillé : pour la mesurer, ils ont désensablé la statue, dont on ne voyait que le visage. Le Sphinx est peint avec une telle exactitude qu'il paraît vrai. En supprimant les traces de pinceau, le peintre fait presque oublier qu'il s'agit d'un tableau.

Malgré sa petite taille, Bonaparte n'est pas écrasé par la statue, qu'il semble traiter en égale. Avant lui, d'illustres conquérants sont venus jusqu'ici : ils s'appelaient Alexandre et César. Peut-être espère-t-il entendre de la bouche du Sphinx une prophétie, celle qui fera bientôt de lui l'empereur Napoléon Ier ?

Les petits secrets du peintre

Dès 1857, Gérôme effectue de longs séjours en Égypte, sa deuxième patrie. Comme ses contemporains, il est fasciné par les merveilles du pays révélées par l'expédition de Bonaparte. Parce que la lumière intense et éclatante de l'Orient le séduit, il situe cette scène au moment où le soleil est au zénith. De tels choix font de lui un peintre orientaliste.

Bonaparte devant le Sphinx

Jean-Léon Gérôme
Peintre français
Vesoul 1824 - Paris 1904

1867 - 1868, huile sur toile,
Hearst Castle, San Simeon (États-Unis)

Humboldt, le savant voyageur

À la fin du XVIIIe siècle, les océans ne fascinent plus les aventuriers. Longuement sillonnés par les explorateurs, ils n'ont plus de mystères. Pour ceux qui rêvent de découvertes, il faut donc s'aventurer au cœur des continents. Voilà pourquoi le baron de Humboldt choisit l'Amazonie. Sa mère venant de mourir, il n'a plus de raison de rester en Allemagne. Il dépense alors une partie de son héritage pour monter une expédition scientifique. Curieux de tout, ce savant va enfin pouvoir suivre son désir : faire avancer la science.

En juillet 1799, il débarque au Venezuela, en compagnie du Français Aimé Bonpland. Les deux hommes sont chargés d'un matériel encombrant, indispensable à leurs observations. Ils s'enfoncent bientôt dans la jungle tropicale, collectant des spécimens de plantes et d'animaux inconnus en Europe. Humboldt rédige le journal de l'expédition, tandis que Bonpland se charge des dessins. Rien ne les arrête ! Ils bravent tous les périls : les crocodiles féroces, la chaleur humide, les chutes d'eau infranchissables, les maladies...

Mais Humboldt veut en apprendre toujours plus. Suivi de son fidèle ami, il rejoint les Andes pour se consacrer à l'étude des volcans. Les pieds en sang, les deux hommes gravissent le flanc du Chimborazo, alors considéré comme le plus haut sommet du monde. La science mérite tous les sacrifices !

De retour en Europe en 1804, Humboldt est perçu comme l'un des plus grands génies de son temps. Ce héros de la science continue d'influencer les scientifiques d'aujourd'hui.

Le chercheur au travail

Regarde Humboldt, assis dans sa bibliothèque.
À quatre-vingt-sept ans, le savant s'y retire souvent pour lire et réfléchir. Il a l'habitude de laisser traîner son regard sur le globe terrestre, situé face à lui, ou sur l'oiseau empaillé qui trône dans le coin. Alors, ses voyages lui reviennent en mémoire.

Sur les tables sont entassés des ouvrages, ainsi que des cartes roulées et des dessins rapportés de ses expéditions. À droite, sur le sol, on voit des boîtes remplies de manuscrits, de notes, amassés il y a bien longtemps. Faisant face aux étagères soigneusement rangées, ce désordre surprend le spectateur. Il prouve que Humboldt est toujours aussi actif. Depuis quelque temps, il se consacre à un projet ambitieux : une synthèse de ses travaux et connaissances scientifiques.

La décoration de la pièce révèle un homme de goût, un aristocrate marqué par une culture classique. Vois les tableaux aux murs, les bustes anciens sur la table ou les statuettes placées sur l'étagère. Ce lieu paisible reflète la sérénité de Humboldt.

Au fond, on aperçoit une autre pièce. Le regard est attiré vers elle par les parallèles que constituent les deux tables et les lignes du plancher. On y aperçoit un télescope pointé vers le ciel, des animaux, dont un aigle aux ailes déployées. La porte semble s'ouvrir sur le passé de l'aventurier, quand il était libre de courir le monde.

Les petits secrets du peintre

Le peintre est un grand ami de Humboldt. Grâce à lui, il a pris goût aux voyages et a rencontré le roi de Prusse, qui lui a commandé des toiles. Pour le remercier et garder un souvenir de cet homme très âgé, l'artiste le fait poser, un livre entre les mains. La confiance se lit sur le visage d'Humboldt, qui fixe son ami en esquissant un sourire.

Humboldt dans sa bibliothèque

Eduard Hildebrandt
Peintre allemand
Danzig 1818 - Berlin 1869

Lithographie
Société royale géographique de Londres (Grande-Bretagne)

Livingstone, un missionnaire pacifique

Né en 1813 dans une pauvre famille écossaise, David Livingstone commence à travailler à dix ans, dans une usine. Le reste du temps, il étudie, espérant ainsi changer de vie. À vingt-sept ans, devenu médecin et pasteur, il est envoyé en Afrique australe comme missionnaire. Seul et sans armes, il s'enfonce dans la brousse pour partager sa foi et combattre l'esclavage. Les Noirs ne sont pas habitués aux Européens, méprisants à leur égard et terrifiés par ce continent réputé dangereux. Convaincus de sa bonté, ils s'attachent vite à ce Blanc courageux. À partir de 1849, Livingstone est le premier Européen à explorer l'Afrique d'ouest en est. En suivant le cours du Zambèze, il découvre des chutes grandioses, qu'il appelle Victoria en l'honneur de la reine d'Angleterre.

L'Europe accueille en héros ce bienfaiteur de l'Afrique, dont le témoignage est unique. En 1858, Livingstone repart chercher les sources du Nil, poursuivant son périple aux abords du lac Tanganyika. Sous la pression des trafiquants d'esclaves qui le détestent, son escorte l'abandonne, emportant presque tous ses bagages et médicaments. En Europe, le bruit court qu'il a été assassiné.

Fin octobre 1871, Stanley, un journaliste parti à sa recherche, retrouve Livingstone, qui n'a pas vu de Blancs depuis six ans. Les deux hommes ne cachent pas leur émotion ! Bien qu'il rentre avec un reportage sensationnel, Stanley quitte Livingstone avec tristesse : il devine que cet homme malade n'en a plus pour longtemps.

Un paysage noyé de pluie

Regarde cet homme assis sur les épaules d'un porteur. C'est Livingstone. Un autre le soutient sans le quitter des yeux : le missionnaire est trop affaibli pour marcher. Il n'a plus que quelques mois à vivre ! Les pluies torrentielles ont gonflé la rivière, et le pont s'est brisé sous les assauts de la tempête et du courant. Pour traverser le cours d'eau, il n'y a qu'une solution : cheminer les uns derrière les autres, immergés jusqu'au cou.

En tête, un homme trace la route, pendant que Livingstone cherche des yeux un repère. Pourvu qu'ils ne soient pas perdus ! Les autres membres du groupe suivent, chargés des armes et des réserves. Les porteurs forment une file qui diminue et semble se poursuivre hors du dessin. Cet effet de perspective crée de la profondeur.

Pour donner du réalisme à la scène, le peintre choisit de représenter des détails, comme les gouttes de pluie qui frappent la surface de la rivière. On distingue même les bustes des porteurs dans l'eau transparente. L'illustrateur veut également souligner la difficulté qu'ont les hommes à avancer. Il les fait progresser de la droite vers la gauche, ce qui s'oppose au sens traditionnel de la lecture. Cette traversée paraît d'autant plus pénible que la pluie tombe, dans la diagonale inverse, de la gauche vers la droite.

Les petits secrets du peintre

Cette gravure est l'une des illustrations ajoutées au dernier journal tenu par Livingstone en Afrique centrale. Le peintre s'efforce donc d'être le plus fidèle possible au récit de l'explorateur. En réduisant les zones claires et en jouant sur les teintes de gris, il réussit à recréer cette atmosphère saturée d'humidité.

Les eaux montent

Johann Baptist Zweecker
Peintre allemand
Franckfort 1814 - Londres 1876

1874, gravure
Collection privée

L'expédition Burke, un destin tragique

Dès 1788, les Anglais colonisent les côtes australiennes. L'intérieur des terres est inconnu, personne n'osant se lancer à la découverte des immensités sauvages. Il faudra le pouvoir de la Société scientifique australienne pour que cette région soit enfin explorée. Son idée : offrir une grosse somme d'argent à celui qui tentera l'aventure. Robert O'Hara Burke se présente. Cet Irlandais, inspecteur de police, a émigré en Australie, attiré par l'or découvert peu de temps avant. Malgré son manque d'expérience, il se porte volontaire et prend la tête d'une expédition en 1860.

Pourvus de tout ce qui assure le confort nécessaire, une dizaine d'hommes s'engagent à ses côtés dans la traversée du continent. Mais les vingt-cinq chameaux ralentissent le convoi : ils croulent sous le poids des bagages. La chaleur et la monotonie du désert commencent à peser sur le groupe. L'ambiance ne tarde pas à se dégrader.

Impatient d'atteindre son but, Burke part avec trois hommes, laissant les autres au campement. Avec six chameaux et des vivres, la petite équipe remonte vers le nord. À force d'énergie, elle approche de la mer – sans l'atteindre, car les hommes s'enlisent dans les marécages. Le retour est difficile : alors que la nourriture se fait rare, le dernier chameau meurt. Exténués, les explorateurs s'accrochent à l'idée que le campement est proche. Aussi, quel désespoir quand ils trouvent l'endroit déserté par ses occupants quelques heures aparavant ! Un seul homme survivra à l'expédition : John King, sauvé par les Aborigènes. Tant de sacrifices pour un tel échec ! Le destin est parfois cruel...

Un spectacle bien surprenant

Regarde ces hommes défiler à dos de chameaux.

Cette étrange scène est le départ d'une expédition au cœur de l'Australie. Burke, en tête, se distingue par son casque colonial et sa tunique jaune ; ses compagnons, eux, sont vêtus de rouge. Ces teintes chaudes tranchent avec les couleurs froides des spectateurs qui ont tenu à assister à l'événement. Pour rien au monde, ils n'auraient manqué une telle attraction ! En ôtant leur haut-de-forme, ces hommes élégants rendent hommage au courage des aventuriers. Des enfants sont même montés dans un arbre pour ne rien perdre de la scène ! Deux chiens courent en rond, excités par cette agitation. De tous les côtés, le public afflue, à pied, à cheval, en calèche. En ce 20 août 1860, ils sont au moins quinze mille à se presser dans le parc royal de Melbourne. Afin de rendre le grouillement de la foule, le peintre dessine à l'arrière-plan des silhouettes de plus en plus floues et imprécises. Il accorde également une grande importance à la profondeur. Ainsi, il utilise les arbres pour délimiter les différents plans et introduire un rythme dans le tableau.

Un cavalier ouvre la voie au convoi. De sa main tendue, il désigne la direction que va emprunter l'expédition. La route sera longue jusqu'au nord de l'Australie ! Pourtant, le soleil brille : l'heure est à la confiance et à l'allégresse.

Les petits secrets du peintre

Installé en Australie en 1839, ce peintre d'origine anglaise aime représenter les grands événements de l'histoire nationale. Il les restitue avec d'autant plus de fidélité qu'il y a assisté. Grâce au côté vivant de ses œuvres, il remporte un vrai succès. Il met ici en évidence le mouvement des hommes en opposant la scène horizontale, très dynamique, à la verticalité figée des arbres.

Départ de l'expédition Burke en 1860

Samuel Thomas Gill
Illustrateur australien
Devon 1818 - Melbourne 1880

Aquarelle,
Bibliothèque Mitchell, New South Wales (Australie)

Sven Hedin, un pionnier plein d'audace

À vingt ans, Sven Hedin se sent promis à un destin extraordinaire. Même si, depuis longtemps, la planète est sillonnée par les aventuriers, il reste heureusement des régions inexplorées sur la carte du monde. Le géographe suédois va se concentrer sur celles de l'Asie centrale.

Dès 1886, il parcourt à cheval des milliers de kilomètres dans ces steppes, ravi d'être le premier Européen depuis Marco Polo à s'y risquer. Des années plus tard, il monte une expédition et part à l'assaut du terrible désert chinois, nommé Taklamakan, ce qui signifie : « On y entre, mais on n'en ressort pas ». Pendant sa traversée, il cartographie les lieux et découvre des cités enfouies.

Au-delà des plaines arides, le paysage change. Amoureux du Tibet, il y séjourne plusieurs fois – clandestinement, car les étrangers y sont interdits. Dans ce pays où se dressent les plus hauts sommets du monde, Sven Hedin s'improvise alpiniste et prétend avoir franchi une chaîne de montagnes plus élevée que l'Himalaya. Cette découverte passionne le public, mais scandalise les scientifiques : ils démontrent que cette chaîne n'existe pas...

En 1902, Sven Hedin fait encore parler de lui. Sur la route de Lhassa, la capitale tibétaine, les deux tiers de sa caravane périssent : chameaux et chevaux sont victimes du froid. Aux portes de la ville, une surprise amère l'attend : l'armée le reconduit à la frontière. Grâce à ses récits, des terres inconnues s'ouvrent aux Européens. En 1924, la célèbre exploratrice française Alexandra David-Néel sera la première étrangère à entrer à Lhassa, déguisée en mendiante tibétaine.

Une halte bien méritée

Regarde cet homme coiffé d'un turban rouge.

Seul Européen parmi les Asiatiques, Sven Hedin est facile à identifier. Il n'y a pas de doute : avec ses gestes autoritaires et son épée imposante, c'est lui le chef. À la tête du convoi, il ordonne à ses compagnons de décharger les montures, ces bœufs tibétains appelés yacks. Au fond, la caravane semble continuer hors du tableau. La nuit commence à tomber ; les hommes doivent s'abriter et prendre du repos. Épuisés par cette marche en altitude, tous semblent souffrir du froid, malgré leur épais manteau. Quel bonheur de pouvoir s'arrêter !

Relativement sombre, cette peinture souligne les rigueurs du voyage. Les individus et les yacks se détachent sur un paysage sauvage et minéral, grossièrement dessiné. Mis en avant, les êtres vivants sont représentés avec minutie. Observe comme les matières sont bien rendues ; admire les poils des yacks ou les plis des manteaux.

Pour souligner l'agitation des membres de l'expédition, le dessinateur a diversifié leurs postures. En venant troubler le calme de cet endroit coupé du monde, Sven Hedin et ses compagnons ont aussi dérangé une famille. As-tu remarqué, au fond, à gauche, le petit groupe d'observateurs ? Attirés par le bruit et le mouvement, ils sont venus contempler le spectacle. Qui les croira quand ils raconteront ce qu'ils ont vu ?

Les petits secrets du peintre

Eugène Damblans plonge ses spectateurs dans l'action en créant de la profondeur. Pour cela, il choisit l'arrivée de l'expédition à une étape, ce qui lui permet de faire des plans successifs : d'abord les porteurs, puis Sven Hedin, ses serviteurs et le yack, et enfin les hommes, de plus en plus petits, qui surgissent du lointain.

L'explorateur Sven Hedin au Tibet

Illustrateur français
Eugène Damblans
Uruguay 1865 - ?

Lithographie, illustration pour le journal *Le Pèlerin*,
février 1909,
Collection privée

Robert Peary, un Américain au sommet du monde

Depuis le XIXe siècle, les expéditions se multiplient en Arctique. Malgré la course que se livrent Américains, Anglais et Scandinaves, personne n'est parvenu au « sommet » de la Terre : le pôle Nord.

Comme beaucoup d'autres, l'officier de marine américain Robert Edwin Peary s'est juré de l'atteindre. À partir de 1891, cet aventurier effectue huit expéditions pour préparer l'exploit de sa vie. Il se risque d'abord au Groenland, où il établit plusieurs caches de provisions et de matériel pour ses prochains voyages. Vivant avec les Esquimaux, il adopte leur langue et leurs techniques. Sans leur aide, il ne peut réussir sa mission. Prêt à tout, il emmène sa femme enceinte avec lui. Née sur le navire, sa fille sera le premier bébé blanc à voir le jour dans cette région !

À chaque expédition, Peary s'avance toujours plus loin vers le pôle. Mais les difficultés et les dangers se multiplient. Le froid est tel que les chiens n'arrivent plus à tirer les traîneaux et qu'il faut amputer les orteils gelés de l'explorateur. Souvent, la glace se fissure sous les pieds des hommes qui continuent de marcher, pour rester en vie.

Peary n'atteint son objectif qu'à l'âge de cinquante-deux ans, lors de son expédition de la dernière chance. En février 1909, il quitte le navire brise-glace avec des coéquipiers, dix-neuf traîneaux et cent trente chiens. Bientôt, il ne poursuit qu'avec quatre Esquimaux et son fidèle domestique. Le 6 avril, les cinq hommes posent devant l'appareil de Peary au pôle Nord. Son rêve est devenu réalité !

Une course à l'exploit

Regarde ces deux explorateurs, habillés comme des Esquimaux. Ils se disputent la conquête du pôle Nord. Frederick Cook, représenté à droite, déclare l'avoir atteint en avril 1908, alors que Robert Peary affirme avoir été le premier à y poser le pied en avril 1909. Sur le sol, un trou attend le drapeau américain que les deux hommes tiennent fermement. Chacun veut être le premier à le planter ! Des diagonales se croisent sur cet endroit qui représente le pôle Nord ; elles sont formées par le harpon de Peary et le drapeau.

Seuls témoins de la scène, des pingouins encerclent les adversaires. Ils ont l'air de les regarder avec étonnement. Quoi de plus absurde que ces hommes qui se battent sur la banquise ! Et comme ils se ressemblent, avec leurs tenues en fourrure et leurs bottes en peau de phoque ! As-tu noté que leurs gestes aussi sont identiques ? Rien de surprenant à cela ; ils ont partagé une expérience commune : en 1891, Cook a accompagné Peary dans son expédition au nord du Groenland.

C'est Peary qui paraît prendre le dessus. Il bondit en avant pour toucher Cook au visage. Sous le coup, celui-ci recule ; il est en mauvaise posture. Comme le dessin le suggère, l'histoire a retenu l'exploit de Peary, et non celui de Cook, qui n'a jamais été prouvé. Ironie du sort, on suppose aujourd'hui que Peary n'est pas allé jusqu'au pôle. Pas plus que son rival, d'ailleurs...

Les petits secrets du peintre

Depuis 1894, le quotidien français *Le Petit Journal* publie chaque dimanche un supplément dont la première page caricature un événement récent. En dessinant Peary et Cook se battant comme des chiffonniers, l'illustrateur symbolise le différend qui oppose alors les deux hommes. En réalité, ils ne se sont jamais croisés au pôle Nord !

La conquête du pôle Nord : le docteur Cook et le commandant Peary s'en disputent la gloire

Illustrateur anonyme français

Lithographie parue dans *Le Petit Journal*

du 19 septembre 1909,

Collection privée

La Croisière noire, une aventure publicitaire

En 1922, le constructeur automobile André Citroën organise un raid saharien pour faire connaître ses véhicules. Équipées de bandes métalliques articulées qui isolent les roues du sol, les autochenilles sont des voitures tout-terrain, idéales pour rouler dans le sable. En vingt jours, elles traversent le désert. Le succès est éclatant : le peuple français est fasciné par ces hommes qui se sont aventurés dans une région aussi dangereuse. Ce défi relevé, Citroën et le directeur de ses usines voient encore plus grand. Le 28 octobre 1924, huit autochenilles partent ; elles ont une année pour effectuer un périple de vingt mille kilomètres et relier l'Algérie à Madagascar. C'est la Croisière noire. Le continent africain y révèle toute sa richesse, mais la route est périlleuse. La végétation est dense, les sables, mouvants et les marécages sont nombreux : les voitures ont du mal à avancer. Parfois, des obstacles surgissent. Il faut rapidement trouver une solution : on construit un pont pour franchir une rivière, on dynamite des rochers qui bloquent le passage... Des spécialistes accompagnent la mission : ils récoltent des informations uniques sur les pays visités.

En 1926, une exposition est organisée à Paris. Les visiteurs y découvrent l'Afrique à travers des objets rapportés, un film, des milliers de photographies et de dessins. Le public est invité à revivre les temps forts de cette aventure moderne. Citroën a gagné son pari : sa marque remporte un grand succès populaire.

Portrait de l'expédition

Regarde les mécaniciens autour de l'autochenille.

Ils se sont répartis autour de la voiture pour poser. C'est elle, la véritable héroïne de l'expédition. Le photographe et le peintre n'ont d'yeux que pour elle. Placés à sa gauche et à sa droite, ils sont là pour offrir un témoignage de la croisière Citroën, chacun à sa manière.

À l'avant du tableau sont assis les chefs de la mission. Ils ont déplié des cartes pour déterminer le trajet qu'il leur reste à parcourir. À droite se tient accroupi un spécialiste de zoologie. À ses pieds est étendue une antilope, morte. Une fois naturalisée, elle rejoindra les collections du Muséum d'histoire naturelle.

Rien ne permet de différencier les membres de l'expédition, à part leur fonction dans le tableau. Ils sont habillés de façon identique. La couleur beige domine, d'autant plus que les hommes occupent presque tout l'espace du tableau. Plus que le reste, c'est l'esprit d'équipe qui importe.

Un seul individu se distingue des autres : c'est un serviteur noir qui porte une coupe de fruits. Il rappelle que l'Afrique est alors colonisée par les puissances européennes. À l'arrière-plan travaillent d'autres Africains. Leur village s'étend au lointain, sur la droite. Comme les arbres, ces touches exotiques ne sont que de simples éléments du décor. Dans ce campement provisoire, les hommes se reposent, fiers de leurs exploits.

Les petits secrets du peintre

Artiste et voyageur russe, Jacovleff est recruté par Citroën comme peintre officiel de l'expédition. C'est au cours d'une étape au Soudan qu'il a l'idée de faire poser toute l'équipe, pour la présenter au public. Il n'oublie personne : il offre même son propre portrait. Esquissant un sourire, l'artiste regarde le spectateur, à la recherche d'une complicité.

Les membres de l'expédition de la Croisière noire

Alexandre Jacovleff
Peintre russe
Saint-Pétersbourg 1887 - Paris 1938

1927, dessin,
Musée du quai Branly, Paris

Armstrong, le premier homme sur la Lune

Après la Seconde Guerre mondiale, une grande tension s'installe entre les deux superpuissances, les États-Unis et l'URSS. Pas de conflit direct, mais une rivalité économique et technologique : c'est la guerre froide. À la fin des années 1950, les Soviétiques se montrent plus audacieux en se lançant dans la conquête de l'espace. En 1957, ils mettent en orbite le satellite artificiel Spoutnik 1. En 1961, ils envoient dans l'espace le premier homme, Youri Gagarine.

Jaloux de ce succès, les États-Unis doivent faire mieux ! Pour le président Kennedy, il n'y a pas de doute : le premier homme à marcher sur la Lune sera un Américain !

Le 16 juillet 1969, trois hommes s'envolent d'une base en Floride. Le commandement de la mission Apollo 11 est confié à Neil Armstrong, un pilote d'essai devenu astronaute.

Quatre jours plus tard, parvenu devant la Lune, l'équipage se sépare. Tandis que le pilote reste à bord du vaisseau, qui gravite autour du satellite terrestre, un module spatial baptisé Eagle « l'Aigle » se dirige vers la Lune. Le 21 juillet, Armstrong y fait ses premiers pas, bientôt rejoint par son coéquipier. Malgré leur excitation, les deux hommes n'oublient pas leur mission. Après avoir planté le drapeau américain dans le sol, ils commencent l'exploration. Quand ils retournent au vaisseau, ils ont collecté bien des informations et vingt kilos de roches.

À travers le monde, des millions de téléspectateurs ont suivi cet exploit en retenant leur souffle, les yeux emplis de rêves étoilés.

Des premiers pas historiques

Regarde l'astronaute qui descend de la navette.

Son pied droit encore sur l'échelle, il s'apprête à poser l'autre sur le sol. Armstrong va accomplir un exploit dont les hommes rêvent depuis des siècles.

Pour alunir, il a fallu trouver une zone plate. C'est cette vaste étendue grise que l'Américain aperçoit tout d'abord : elle est appelée mer de la Tranquillité. Au premier plan, des roches la délimitent en créant une sorte de barrière. Ce sont des météorites qui s'y sont écrasées, donnant à ce lieu un aspect désertique et hostile. Elles produisent aussi une impression de profondeur, accentuée par les lignes au sol qui convergent vers le module. Ces détails renforcent le réalisme du tableau : n'as-tu pas l'illusion d'accompagner Armstrong dans son aventure ?

Dans le ciel, un fin croissant scintille. Comme la Terre, vue d'ici, ressemble à la Lune ! Une diagonale est formée, qui part de notre planète pour aboutir sur Armstrong ; elle symbolise le trajet effectué par les astronautes.

Une lumière presque surnaturelle baigne Armstrong et la navette : on l'appelle clair de Terre. Semblables dans leur blancheur éclatante, l'homme et la machine arborent tous les deux un drapeau américain. Dans quelques secondes, Armstrong prononcera cette phrase célèbre : « Un petit pas pour l'homme, mais un grand pas pour l'humanité. »

Les petits secrets du peintre

Parce qu'il donne de l'Amérique une image positive et affectueuse, Norman Rockwell est un artiste extrêmement populaire auprès de ses compatriotes. Seuls l'intéressent les sujets humains, qu'il saisit en pleine action. Il travaille généralement d'après des photos, réalisant des tableaux tellement réalistes qu'on les confond souvent avec leurs modèles.

Le premier pas de l'homme sur la Lune

Norman Rockwell
Peintre américain
New-York 1894 - Stockbridge 1978

1969, huile sur toile
Musée Smithsonian de l'air et de l'espace, Washington D.C.
(États-Unis)

OCÉAN GLA
ARCTIQU

Groenland

Amérique

Californie

Plymouth

Europe

Venise

Lisbonne

San
Salvador

OCÉAN
ATLANTIQUE

Cadix

Cuba

Afrique

Haïti

OCÉAN
PACIFIQUE

Amérique

Recife

Brésil

Rio
de Janeiro

Buenos
Aires

Cap de
Bonne-Espérance

Terre de Feu

Détroit
de Magellan

Grandes découvertes

OCÉAN
PACIFIQUE

Asie

Chine

Inde

Goa

Océanie

Calicut

Moluques

OCÉAN
INDIEN

Australie

→ Marco Polo

→ Colomb

→ Vasco de Gama

→ Magellan

→ Drake

Liste des œuvres

Crédits photographiques